AMNISTÍA INTERNACIONAL

Ediciones Jaguar donará a Amnistía Internacional 0,50 € de cada libro vendido.

ediciones **jaguar**
www.edicionesjaguar.com

© Ediciones Jaguar, 2016
C/ Laurel 23, 1º. 28006 Madrid
www.edicionesjaguar.com
© Traducción: Cuqui Weller

© 2015 Settenove. www.settenove.it
Io sono Adila
Storia illustrata di Malala Yousafzai
di Fulvia Degl'Innocenti
Illustrazioni di Anna Forlati

IBIC: YBC
ISBN: 978-84-16434-29-9
Depósito legal: M-7604-2016

Yo soy Adila

Historia ilustrada de Malala Yousafzai

Fulvia Degl'Innocenti - Anna Forlati

miau

La carita ovalada de Adila está rodeada
por el velo blanco que le cubre la cabeza.
Un mechón de pelo, oscuro como sus
grandes ojos, le cae sobre la mejilla.
Aprieta el paso con la mochilita rosa
sobre las espaldas al lado de su amiga
Fátima.

A Adila le gusta ir al colegio, sobre todo ahora que ha aprendido a leer bien y que recita de memoria los versos del Corán y las leyendas de su tierra, el Swat, en Paquistán. Leyendas que también hablan de heroínas valientes que han luchado por la libertad.

Adila sueña despierta y se imagina de mayor: una maestra que enseña a los niños y a las niñas, una médica que cura a las personas enfermas; una escritora que inventa cuentos.

En el colegio, entre los bancos de madera azul, como su uniforme, están los sitios vacíos que han dejado las niñas que ya no van: se quedan en casa para ayudar a su madre o para convertirse en una buena esposa. Adila teme que eso le pueda pasar también a ella pronto.

Ha escuchado lo que dicen sus padres: «Es inútil que Adila vaya al colegio. Ya sabe leer. Estará más segura en casa con nosotros».

«Tomad el cuaderno de matemáticas», dice la maestra. Pero Adila tiene la mirada apagada. Y en el recreo, en vez de jugar, se queda sentada. «¿Qué te pasa, Adila?», le pregunta la maestra preocupada. Y, con la mirada angustiada, escucha sus palabras, sus miedos.

Esa misma tarde, la maestra llama a la puerta de su casa. Junto con mamá y papá se sienta en la alfombra y beben té. La maestra no habla de su hija, sino que empieza a contar una historia.

También Adila, desde la otra habitación, consigue escucharla. Es la historia de una niña que se llama Malala.

Malala se parece a Adila, tiene el pelo oscuro, los ojos de color avellana y es muy buena estudiante en el colegio. Le gustan las ciencias, el inglés, las matemáticas, estudia el Corán y lee muchos libros. Y en su habitación hay muchos trofeos que ha conseguido gracias a sus buenas notas. A Malala le gusta ser la primera de clase. El colegio al que va, el Khushal school, lleva el nombre de un poeta; lo construyó su papá.

En Mingora, la ciudad de Malala, están en guerra.
A veces por las noches se oye el ruido de las
explosiones, y también hay disparos de día en las
plazas y en las calles.

Han ganado los talibanes, un grupo de hombres
con barba que tienen ideas muy extrañas
sobre cómo se tiene que comportar el pueblo
paquistaní: se tienen que quemar los libros, no se
pueden ver películas ni oír canciones extranjeras,
las mujeres no pueden enseñar su rostro y, sobre
todo, las niñas no pueden ir al colegio.

Malala está muy triste. Para ella el colegio es importante, tiene un sueño: quiere ser médica. Se aburre porque no hace nada en todo el día, aunque el padre pide a algunos profesores que vayan a su casa para darle clase. Él cree en su hija y sabe bien que solo la educación puede hacerle crecer y que se convierta en una mujer fuerte y libre. Tiene un amigo periodista que quiere dar a conocer al mundo la situación de las niñas paquistaníes.

Malala empieza a llevar un diario en un canal de televisión inglés muy importante, la BBC, pero en urdu, la lengua de su pueblo, y sin dejarse reconocer. Malala solo tiene once años, pero se las arregla muy bien. Cuenta sus días de estudiante, sus preocupaciones y su deseo de aprender.

Mientras, los talibanes deciden que las niñas pueden volver al colegio, aunque con burka, el vestido largo que cubre el cuerpo de las mujeres sin dejar al descubierto ni siquiera los ojos. Por suerte, en cuanto cruzan el umbral del instituto, la directora permite a las estudiantes quitarse ese vestido molesto.

La guerra se recrudece y Malala, con su familia, debe abandonar la ciudad. Cuando vuelven, encuentran que han saqueado el colegio y la casa, pero los talibanes ya no están. Las mujeres pueden salir de nuevo, ir al mercado, mostrar su rostro. Se imparten las clases en las tiendas de campaña, entre las paredes derruidas, pero el entusiasmo es más fuerte que las dificultades.

Con la paz todo vuelve a la normalidad.
Y el sueño de Malala cambia. Ya no quiere ser médica, sino
una mujer comprometida en política. Y lo dice abiertamente, sin
esconderse: en la radio, en la televisión, en los periódicos.
 Se convierte en la portavoz de las niñas y de los niños de su valle,
e incluso recibe un premio. Pero los talibanes no han desaparecido
del todo y amenazan a Malala, a la que consideran una traidora,
una amiga de los «infieles occidentales».

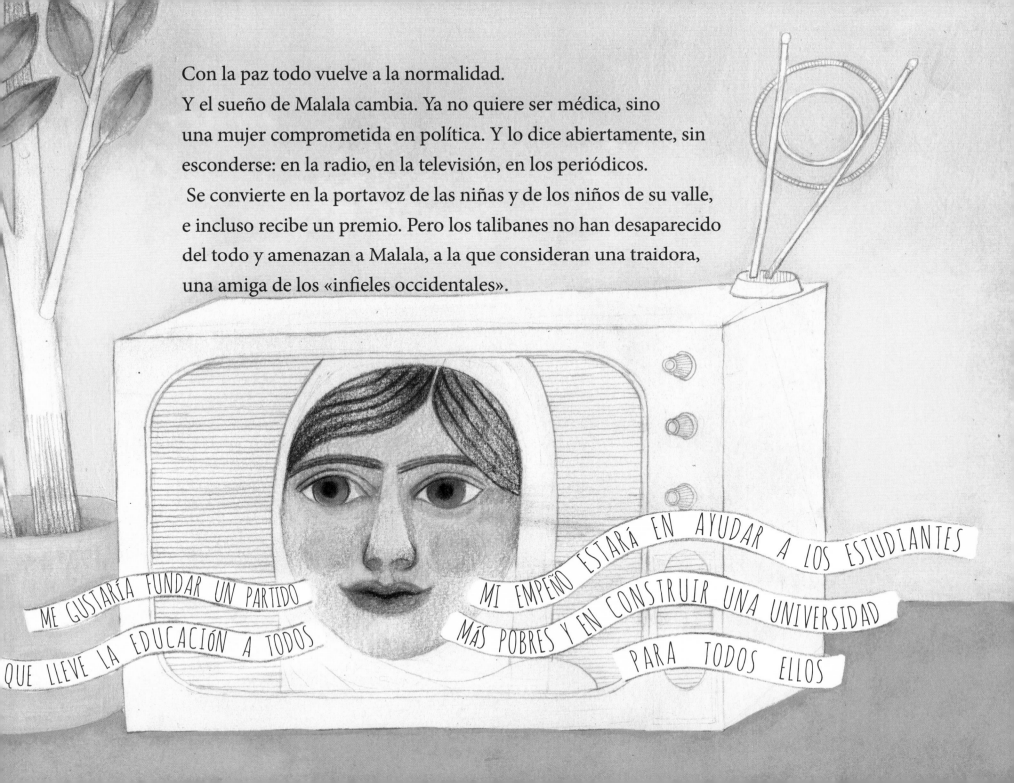

ME GUSTARÍA FUNDAR UN PARTIDO QUE LLEVE LA EDUCACIÓN A TODOS MI EMPEÑO ESTARÁ EN AYUDAR A LOS ESTUDIANTES MÁS POBRES Y EN CONSTRUIR UNA UNIVERSIDAD PARA TODOS ELLOS

Cuando Malala tiene 15 años es famosa, todo el mundo conoce sus palabras y su lucha por los derechos de la infancia. Está en el autocar con sus compañeras y está volviendo del colegio cuando dos hombres obligan parar al conductor.

Uno de ellos lleva una pistola: «¿Quién es Malala?», grita.

Nadie habla, pero las miradas de las compañeras aterrorizadas se dirigen a ella. Se producen disparos: uno, dos, tres.

Cuando Malala se despierta, han pasado diez días desde el atentado: se encuentra en un hospital inglés donde le han salvado la vida. Pero todavía tiene que sufrir muchas operaciones para reparar los graves daños que le provocó la bala que le dio en la cabeza. En la cama, con ella, hay un osito blanco y miles de mensajes de solidaridad, de su país y de todo el mundo. También resultaron heridas dos de sus compañeras, con menor gravedad, que se quedaron en Paquistán.

Con ella está su papá, Ziauddin, su mamá, Toorpekai, y sus dos hermanos, Atal y Khushal. Vivirán en Inglaterra, es demasiado peligroso volver a su amada tierra. Una vez curada, Malala vuelve al colegio y sigue hablando de los derechos de las niñas y de los niños. Palabras duras, valientes: «Dadnos bolígrafos para escribir antes de que alguien ponga armas en nuestras manos».

El 12 de julio de 2013, día de su decimosexto cumpleaños,
da un discurso en la sede de las Naciones Unidas de Nueva
York, envuelta en un chal de otra heroína paquistaní: Benazir
Bhutto, la única mujer que asumió el cargo de primer ministro,
asesinada en un atentado unos años antes:
«No me importa si me tengo que sentar en el suelo del colegio
—dice Malala—, lo que quiero es aprender».

«Y no tengo miedo de nadie».

Sigue recibiendo premios hasta que le dan el más importante de todos: el Premio Nobel de la Paz, que se ha entregado a personalidades políticas, jefes religiosos, al presidente de Estados Unidos y al Papa. Nunca a una niña.

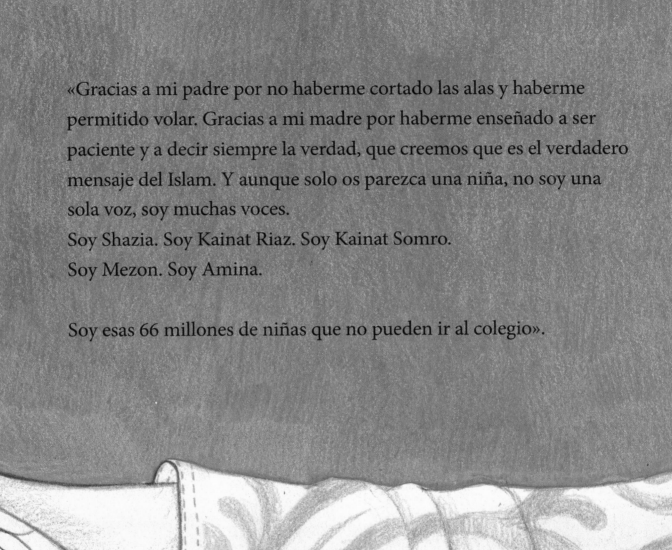

«Gracias a mi padre por no haberme cortado las alas y haberme permitido volar. Gracias a mi madre por haberme enseñado a ser paciente y a decir siempre la verdad, que creemos que es el verdadero mensaje del Islam. Y aunque solo os parezca una niña, no soy una sola voz, soy muchas voces.

Soy Shazia. Soy Kainat Riaz. Soy Kainat Somro.

Soy Mezon. Soy Amina.

Soy esas 66 millones de niñas que no pueden ir al colegio».

La maestra de Adila ha terminado su relato.
No añade nada, da las gracias por el té y se va.

Adila se asoma tímidamente y se pone donde estaba la
maestra en la alfombra. En las manos tiene su cuaderno de
dibujos. Hay una chica que lleva de la mano a una niña.
Se parecen, tienen los mismos ojos grandes, en la mano libre
llevan un bolígrafo. Y detrás de ellas muchos niños y niñas.

Mamá y papá miran a su hija con un orgullo completamente nuevo.
Mañana Adila volverá al colegio.